W9-DIJ-349

Cheetahs

PHOTOS AND FACTS FOR EVERYONE

BY ISIS GAILLARD

Learn With Facts Series

Book 9

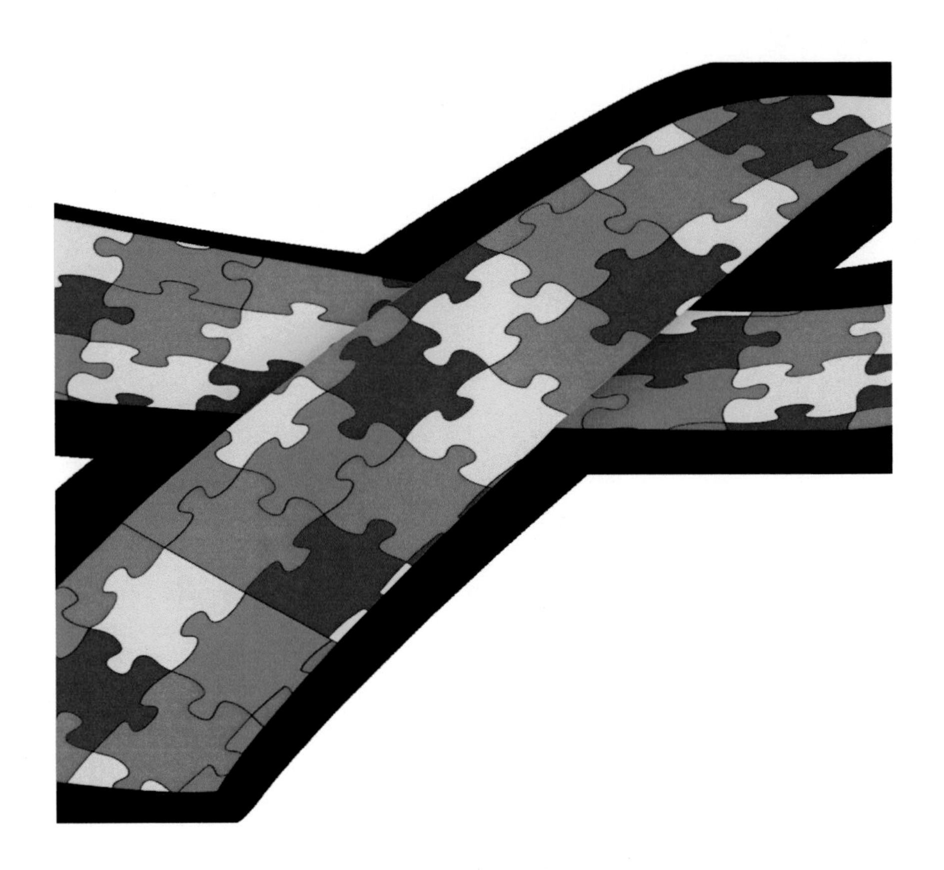

Dedicated to my boys
Jaxon and Jalen

CONTENTS

Isis Gaillard. Cheetahs: Photos and Facts for Everyone (Learn With Facts Series Book 9). Ebook Edition.
Learn With Facts an imprint of TLM Media LLC

eISBN: 978-1-63497-136-2
ISBN-13: 978-1-63497-258-1
Hardback: 979-8-88700-458-7

Introduction

While the cheetah is the smallest of all big cats, it is also the fastest. The cheetah is the fastest land animal globally over short distances of about 2000 feet. Cheetahs can accelerate from a standstill up to 60 miles per hour in under five seconds and have been clocked at 75 mph. Its body is designed for speed with a deep chest that holds an enlarged heart and lungs and has enormous nostrils. This, in turn, gives the cheetah a more remarkable ability to circulate highly oxygenated blood more efficiently.

Unlike most big cats, male cheetahs are social animals. While many adult males will be solitary for some part of their lives, most will form a coalition of two or three males, who may remain together for life. On the other hand, females are solitary their entire lives except when raising offspring. Females have large home ranges that tend to overlap different female ranges. On the other hand, Males are territorial and will map out an area where several female ranges intersect, giving them the best opportunity to have as many mates as possible while defending only a tiny space.

A coalition of two or three males is also more likely to establish and successfully defend territory than a lone male. They will mark their parts with scents by urinating at different intervals around their perimeter, and all males in a coalition will contribute to the scent. Cheetahs are ferocious animals and will attack any intruder that dares enter their territory. Defending their claims often results in severe injury and even death.

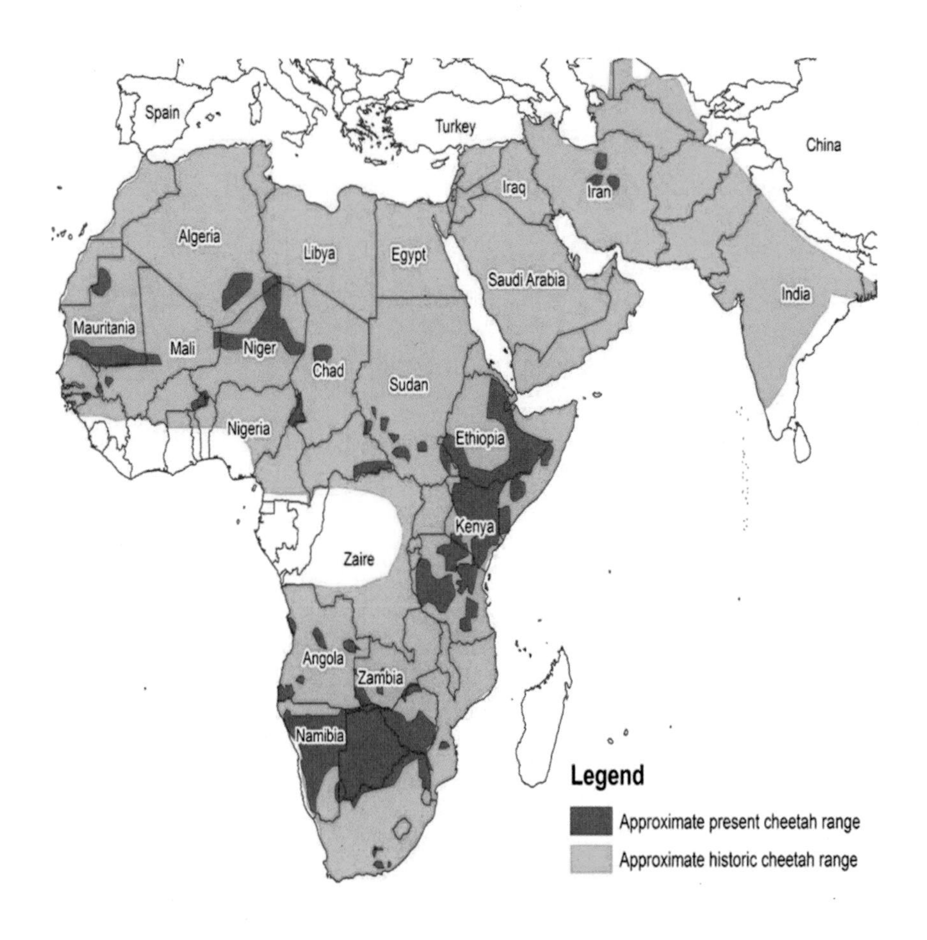

Cheetahs inhabit the African continent and parts of Asia. They thrive in large open expanses of land with a healthy abundance of migrating herd animals. Semi-deserts, prairies, grasslands, savannahs, and mountainous terrains are ideal regions for the cheetah.

Description

The cheetah also has a very narrow waist and a long tail that acts as a rudder, allowing this cat to change directions at high speeds quickly. Another adaptation of the cheetah is that it has semi-retractable claws. Cheetahs are the only big cat species with this claw type that enhances traction when running. They have coarse, short fur tan with small round black spots. Its tail will also have five or so black rings at the end.

Distinctive to the cheetah's coat are its black tear marks that run from the corners of the eyes down the nose to the corners of the mouth. These marks absorb sunlight keeping it out of the cheetah's eyes, giving it better sight while chasing prey.

Size

Cheetahs weigh around 150 pounds and measure up to 60 inches from nose to tail. Cheetahs may grow as tall as 35 inches at the shoulders.

Breeding

Cheetahs can mate at any time of the year. Females will mate with many different males while receptive and throughout their lifespan. She will have a 95-day gestation period after becoming pregnant, after which she will give birth to three to five cubs. She will not become receptive to males again until she has weaned all of her cubs.

Cubs weigh around 10 ounces and are blind when born. They also have their characteristic black spots and a downy fur around their neck, which gives them a Mohawk appearance. The first year and a half of life are the most important in a newborn cheetah's life. The mother trains them on how to hunt and avoid predators throughout this time. Cubs are weaned between one and two years of age.

They will then form sibling groups for six months or so, at which time the females will become solitary while the males usually stay together as a coalition. Females reach sexual maturity at this age, while their male counterparts have already reached sexual maturity by one year. Even though they reach maturity earlier, males typically will not breed until they are three, by which time they are large enough to establish a territory.

Eating Habit

Cheetahs are carnivores consuming only meat. Their preferred prey includes gazelles, spring brooks, and impalas, as well as smaller guinea fowl and hares. Cheetahs have also been known to hunt newborn zebras and wildebeests and takedown adults if they work in packs. Cheetahs are diurnal hunters meaning that they prefer to hunt in the early morning or late day while there is still enough daylight and cooler in temperature

This is because cheetahs hunt by sight rather than by smell. Also, since using its incredible speed to catch prey requires a lot of heat energy, these cats tend to overheat easily and need to cool down quickly. Cheetahs catch their prey by singling out individuals from a herd and then tripping them up while at a run. They must consume their kills quickly before larger predators steal them.

Interesting Facts

Cheetahs cannot roar like most big cat cousins but vocalize in other ways. High pitched chirping is used to locate each other, especially between mother and cub. Purring is used for social encounters as when introductions are made or during mating. Cheetahs growl and hiss when they are angered or feel threatened, and this growling can escalate into yowling as the threat heightens.

Predators

Because of their smaller size, cheetahs fall victim to many larger predators in their habitat. Newborns are often taken by lions, tigers, hyenas, and even eagles. Because they hunt by utilizing their speed, any minor injury that might slow them down could become life-threatening. For this reason, cheetahs will readily give up a kill, even to a lone predator, rather than risk an injury from fighting. Cheetahs tend to hunt at different times and devour their kills right away to avoid being preyed upon by other predators. Because of its speed, however, a healthy adult cheetah can easily outrun all other predators if threatened.

Mythology

When the cheetah was more widespread, ancient aristocrats tamed them so they could be used to hunt antelopes, much as greyhound dogs are used today. The Egyptians often kept cheetahs as pets in ancient Persia and India. Cheetah cubs are still sometimes tamed and illegally sold as pets. Cheetah fur was once used as a status symbol. Cheetahs were once associated with the Roman god Bacchus. Today cheetahs are used as mascots, characters in books and movies, and even in television commercials such as the Cheetos' Chester Cheetah.

THE END

Thanks for reading facts about Cheetahs. I am a parent of two boys on the autism spectrum. I am always advocating for Autism Spectrum Disorders which part of the proceeds of this book goes to many Non-Profit Autism Organizations. I would love if you would leave a review.

Author Note from Isis Gaillard:

Thanks For Reading! I hope you enjoyed the fact book about **Cheetahs**.
Please check out all the Learn With Facts and the Kids Learn With Pictures series available.

Visit www.IsisGaillard.com and www.LearnWithFacts.com to find more books in the Learn With Facts Series

More Books In The Series

Over 75 books in the Learn With Facts Series.

Word Search 1

T	Z	V	A	P	O	F	R	V	I
S	U	L	A	S	M	V	L	Q	E
E	B	K	D	Z	E	C	O	B	N
L	C	R	B	I	G	R	E	S	T
B	I	O	V	F	T	A	X	V	Z
B	E	J	Y	L	V	Q	F	P	O
U	J	A	I	E	L	V	R	I	T
Z	K	U	R	M	H	Q	E	Z	J
S	M	S	I	S	N	F	K	W	L
V	P	Z	S	W	G	H	M	K	M

Word List

Bears
Beavers
Birds

Word Search 2

C	R	T	Q	I	K	B	J	S	G
H	E	Z	A	U	W	G	N	R	A
A	X	L	G	M	X	I	Z	J	J
M	U	N	E	P	H	P	B	G	P
E	I	J	L	P	K	T	F	B	M
L	Z	Z	L	E	H	E	O	E	Q
E	J	O	X	U	U	A	I	F	L
O	D	X	G	N	B	Y	N	J	Z
N	P	Q	D	S	I	P	C	T	P
S	O	C	B	C	S	M	W	E	S

Word List

Elephants
Chameleons
Dolphins

Word Search 3

W	C	F	F	A	F	H	O	R	C
L	R	D	C	D	X	U	P	S	H
S	O	I	F	Z	H	M	H	S	E
M	C	X	J	D	T	F	R	C	E
S	O	U	M	U	O	A	F	C	T
K	D	B	F	O	G	L	Z	H	A
Y	I	R	S	U	U	V	Y	M	H
J	L	H	O	A	V	D	J	D	S
R	E	C	D	K	T	K	Q	R	K
F	S	L	J	M	C	O	J	K	O

Word List

Cheetahs
Cougars
Crocodiles

Word Search 4

Y	J	C	Q	Q	C	I	X	Y	Z
N	V	A	K	S	F	Y	K	O	S
O	G	D	L	G	O	Z	P	R	R
O	W	T	Z	G	X	C	U	S	X
Y	K	W	D	N	E	A	Z	E	N
C	K	W	Z	U	S	M	H	L	U
D	N	C	V	O	J	K	L	G	P
P	P	R	N	X	W	Y	G	A	G
D	K	I	J	L	O	H	H	E	P
Q	D	F	L	M	K	T	B	B	Z

Word List

Dinosaurs
Eagles
Foxes

Word Search 5

P	S	F	F	R	N	C	Q	R	H
Z	D	N	T	B	W	J	E	Z	E
G	U	Z	E	T	Q	S	B	G	D
A	B	J	F	G	K	G	M	I	G
A	V	M	L	S	G	O	W	R	E
Q	C	G	M	M	C	R	C	A	H
C	I	D	S	S	Z	F	P	F	O
A	I	K	L	L	J	L	W	F	G
M	C	S	B	H	M	A	B	E	S
U	P	F	T	W	T	D	I	S	G

Word List

Frogs
Giraffes
Hedgehogs

Word Search 6

K	F	K	S	K	F	W	Z	R	S
Z	A	V	K	P	S	O	O	E	A
J	K	N	Y	Q	M	L	S	H	Z
U	O	U	G	W	P	R	O	V	X
U	A	N	R	A	O	J	S	W	I
I	L	C	S	H	R	I	D	Y	B
T	A	Q	L	N	F	O	N	W	K
L	S	N	R	D	O	H	O	T	W
S	D	Y	Z	W	L	I	G	S	D
D	D	R	P	T	A	Z	L	O	C

Word List

Horses
Kangaroos
Koalas
Lions

Word Search 7

S	H	P	L	U	S	D	L	S	A
L	Q	N	N	S	P	P	P	K	U
W	P	J	X	N	L	K	J	C	S
O	A	H	X	I	L	V	X	O	L
W	N	E	Y	U	W	R	Y	C	D
U	D	G	G	G	C	N	N	A	G
J	A	L	S	N	L	D	T	E	E
P	S	O	E	E	S	W	H	P	Z
U	Z	U	X	P	V	C	L	L	Q
E	L	F	Z	L	Q	F	P	K	P

Word List

Owls
Pandas
Peacocks
Penguins

Word Search 8

R	H	I	N	O	C	E	R	O	S
Y	T	I	A	W	W	Z	U	Z	E
W	Y	S	S	E	V	S	V	D	A
F	M	S	R	S	Q	C	Q	N	T
W	B	N	R	E	G	L	D	Z	U
R	W	A	Y	K	D	H	V	S	R
S	O	K	B	J	Q	I	G	U	T
L	E	E	C	C	B	H	P	P	L
V	Y	S	B	R	E	F	V	S	E
X	A	G	C	A	H	M	N	J	S

Word List

Rhinoceros
SeaTurtles
Snakes
Spiders

Word Search 9

B	Y	A	V	N	A	D	N	Z	M
U	F	L	T	K	W	Z	Y	F	S
F	X	P	W	I	A	T	M	D	A
T	K	A	J	S	G	Y	Z	F	R
J	J	C	K	G	Z	E	V	R	B
U	I	A	Q	X	C	Y	R	K	E
O	J	S	A	N	T	K	G	S	Z
I	S	S	J	R	T	N	P	M	A
D	Z	E	R	J	S	B	X	H	P
A	L	L	I	G	A	T	O	R	S

Word List

Tigers
Zebras
Alpacas
Alligators

Word Search 10

U	L	H	H	A	X	E	V	T	L
P	A	P	B	S	Z	P	H	B	S
G	S	Y	V	Y	G	Q	W	U	E
T	C	O	D	Q	D	O	E	I	P
Q	B	T	V	S	E	E	Y	S	W
M	C	F	H	P	M	A	V	L	E
E	W	M	M	A	A	S	U	E	H
F	D	O	O	Z	B	Z	O	M	Z
O	T	W	H	S	N	U	B	A	D
L	A	E	A	H	Y	K	A	C	A

Word List

Camels

Word Search 11

E	Q	I	Z	M	V	O	D	Q	C
K	O	Y	Q	G	U	H	Z	H	R
E	I	G	S	D	S	A	K	U	F
U	G	E	N	I	N	I	Z	B	I
Z	E	K	F	I	L	J	V	A	U
B	Q	F	P	H	M	T	G	T	E
L	W	J	F	I	G	A	A	S	V
L	Z	O	R	F	S	Z	L	F	A
M	K	P	P	F	B	O	M	F	Y
Z	F	K	X	A	S	O	J	O	Q

Word List

Bees
Bats
Fish
Flamingo

Word Search 12

A	D	G	A	Z	E	L	L	E	I
T	S	T	W	Q	P	E	H	Q	G
C	T	T	E	W	Q	C	T	P	U
O	R	Y	C	U	N	T	I	X	A
U	A	T	Z	E	U	L	L	X	N
H	N	Q	Z	E	S	M	U	C	A
P	U	M	P	R	P	N	B	F	S
P	K	H	Y	E	N	A	I	G	B
B	Y	Y	T	Q	D	M	Q	G	F
M	X	U	B	Q	W	P	Y	U	C

Word List

Gazelle
Hyena
Iguanas
Insects

Word Search 13

H	S	I	F	Y	L	L	E	J	A
M	S	F	M	T	R	I	H	I	L
P	S	D	S	W	Z	B	E	J	N
Z	R	Z	R	W	U	B	G	Y	F
R	A	Q	V	A	X	G	D	D	M
O	U	Z	C	K	P	A	Y	D	Q
M	G	W	M	A	A	O	A	L	U
P	A	Y	J	P	W	G	E	S	Y
U	J	H	I	S	I	J	Z	L	B
O	Q	H	A	I	H	L	R	Z	C

Word List

Jaguars
Jellyfish
Leopards

Word Search 14

R	F	Y	Q	F	Z	K	G	Z	M
K	A	Z	O	M	Y	J	M	P	O
R	N	Z	F	I	S	E	P	E	O
D	V	R	K	P	E	J	K	S	S
D	P	D	Y	R	J	T	D	C	E
E	J	W	K	G	X	R	B	L	L
V	I	A	T	Q	A	A	Y	J	P
D	T	N	Z	Z	W	N	D	K	F
S	J	A	I	F	X	H	D	K	Y
P	F	L	G	R	O	I	A	G	J

Word List

Lizards
Lynx
Meerkat
Moose

Word Search 15

Y	F	O	L	K	X	O	K	O	S
H	M	Z	G	G	X	S	C	F	T
Q	S	A	V	T	M	T	Z	C	V
X	V	S	N	O	O	R	P	Y	Q
F	X	X	M	P	S	I	A	L	I
E	K	M	U	H	K	C	R	V	J
Z	M	S	F	E	B	H	R	X	D
O	E	Z	V	C	J	E	O	V	K
S	R	Y	I	F	X	S	T	Z	S
O	F	A	K	H	R	V	S	C	L

Word List

Octopuses
Ostriches
Parrots

Word Search 16

O	M	N	G	J	F	W	S	D	K
G	Y	I	V	U	T	S	R	F	R
P	C	H	J	T	G	M	A	P	J
P	O	Z	M	E	U	R	E	J	V
Z	O	N	X	O	K	L	B	F	V
X	V	N	I	B	I	T	R	Q	G
H	X	P	I	C	F	R	A	E	I
R	L	S	A	E	T	Q	L	S	S
J	Y	N	N	S	S	E	O	E	W
L	S	K	D	X	B	V	P	L	P

Word List

Pelicans
Polar Bears
Ponies

Word Search 17

S	C	O	R	P	I	O	N	S	T
I	J	S	Q	X	V	P	E	T	L
X	X	L	R	W	K	S	K	R	K
L	H	O	V	E	R	Z	B	O	L
Y	O	Q	X	O	T	S	Y	Q	V
E	M	H	H	J	U	S	Z	M	T
J	Q	A	T	U	B	C	O	I	C
G	E	A	H	Q	D	N	J	O	E
S	O	C	A	Y	H	V	S	T	R
K	Y	G	O	I	D	X	Z	L	P

Word List

Roosters
Scorpions
Seahorses

Word Search 18

J	J	S	G	U	T	T	H	F	W
S	P	E	O	N	R	D	T	S	H
S	M	L	Z	Q	P	I	P	A	S
D	Z	T	U	Y	P	I	D	X	I
W	D	R	A	R	X	W	T	A	F
Z	V	U	I	N	D	Z	N	P	R
M	X	T	C	A	V	Y	U	R	A
X	W	Q	S	W	A	N	S	I	T
V	Z	B	H	P	S	G	X	L	S
X	X	X	C	W	U	K	G	C	K

Word List

Starfish
Swans
Turtles

Word Search 19

P	Z	Y	X	A	X	D	H	X	V
F	H	A	N	T	E	A	T	E	R
M	D	Z	T	L	U	C	B	C	S
A	R	M	A	D	I	L	L	O	E
A	D	D	E	H	D	D	Y	S	L
B	V	K	E	T	U	Q	D	E	A
U	Y	U	Q	X	H	R	D	V	H
N	G	Q	X	H	I	H	G	L	W
Q	G	W	V	I	Q	M	T	O	K
Q	D	Z	C	I	G	Z	D	W	M

Word List

Whales
Wolves
Anteater
Armadillo

Word Search 20

P	V	I	C	C	W	E	R	T	S
J	C	H	I	P	M	U	N	K	S
S	J	O	L	A	F	F	U	B	Z
S	N	B	E	H	A	O	J	S	N
U	E	E	P	H	J	H	V	A	R
W	E	F	K	A	S	E	B	E	B
K	N	Y	J	C	C	O	W	S	G
P	P	D	O	C	I	S	E	O	A
E	X	H	A	Y	W	H	L	S	G
N	W	J	R	P	H	P	C	Q	V

Word List

Buffalo
Chickens
Chipmunks
Cows

Word Search 21

O	U	I	A	U	Y	D	R	V	A
B	Q	P	M	C	B	V	I	V	A
X	L	E	A	N	D	I	H	C	E
O	I	K	D	V	K	K	P	Z	D
V	S	R	T	V	X	V	N	R	S
D	O	N	K	E	Y	S	K	F	J
T	D	M	E	U	G	F	J	V	Q
L	C	E	A	K	J	W	S	A	F
Z	M	H	E	J	M	Q	W	M	F
G	I	P	J	R	M	K	I	Q	M

Word List

Deer
Donkeys
Echidna
Emu

Word Search 22

X	E	B	Q	S	X	O	D	P	S
H	G	O	A	T	S	U	R	G	X
S	B	L	N	A	W	X	I	S	U
R	F	M	V	I	T	P	G	D	O
L	H	J	C	W	A	Q	C	I	I
L	O	S	T	E	R	R	E	F	C
A	D	A	N	S	Y	V	H	C	J
M	B	I	K	P	C	V	Q	K	H
A	U	K	Z	N	X	S	H	E	W
G	S	F	B	L	Q	J	C	E	Y

Word List

Ferrets
Goats
Guinea Pigs
Llama

Word Search 23

I	P	L	A	T	Y	P	U	S	P
S	Q	F	H	S	K	Z	A	S	T
H	M	R	Y	A	L	H	V	N	V
S	J	U	A	C	V	D	W	O	W
S	E	N	I	P	U	C	R	O	P
S	V	N	B	S	K	G	Y	C	D
U	M	N	P	L	H	L	I	C	G
W	D	L	C	Q	X	J	R	A	N
C	G	N	M	N	D	W	N	R	I
E	N	U	P	H	Q	R	Y	I	S

Word List

Platypus
Porcupines
Raccoons

Word Search 24

Y	W	A	X	M	L	T	Z	I	R
E	N	R	L	T	T	Z	T	N	X
X	D	B	E	E	P	T	D	H	O
Y	S	R	S	E	U	N	P	P	D
D	L	K	E	H	D	A	K	G	V
N	H	H	U	H	A	N	F	D	C
M	S	I	D	N	K	R	I	C	V
X	L	Y	C	X	K	P	K	E	B
N	Q	U	W	N	D	S	Q	S	R
Y	M	C	T	G	M	G	D	E	R

Word List

Reindeer
Sharks
Sheep
Skunks

Word Search 25

C	L	V	M	B	B	O	I	P	F
K	V	M	C	N	A	L	O	P	S
M	S	S	L	V	V	F	U	Q	S
R	M	K	J	F	Y	B	U	H	T
Y	M	R	B	I	X	I	T	L	I
V	V	O	A	X	R	O	X	X	I
V	S	T	O	R	L	Z	L	W	N
M	N	S	E	S	K	W	V	Z	F
R	A	L	O	B	J	N	Q	K	E
M	S	K	K	N	J	H	R	E	G

Word List

Sloths
Squirrels
Storks

Word Search 26

U	W	I	K	C	O	S	E	S	J
I	V	W	J	Z	L	T	S	F	M
Z	M	N	A	A	G	U	O	P	M
T	B	J	M	D	R	R	Z	V	O
U	A	M	E	L	Q	K	K	D	S
X	A	F	A	L	B	E	I	K	T
M	F	W	N	F	A	Y	A	H	X
L	V	T	Y	D	X	Y	G	H	X
F	F	E	M	F	S	M	S	J	A
Z	I	J	Y	A	C	I	N	O	U

Word List

Turkey
Walrus
Yaks
Mammals

Word Search 27

T	A	B	G	U	V	S	F	R	I
T	N	N	N	M	I	K	O	N	J
N	C	A	T	T	L	E	Q	W	X
J	M	X	F	E	A	S	G	B	M
U	Y	O	C	D	L	C	Q	L	N
H	K	O	D	P	D	O	R	Y	L
U	B	B	L	D	K	M	P	P	U
S	S	E	T	O	Y	O	C	E	E
S	K	R	A	V	D	R	A	A	S
E	V	N	T	K	D	S	Q	I	M

Word List

Aardvarks
Antelopes
Cattle
Coyotes

Word Search 28

X	P	G	L	X	A	H	W	P	G
K	A	O	Q	E	Y	Z	R	S	O
A	N	Z	G	Y	M	M	M	G	R
A	T	U	W	I	M	U	M	F	I
C	H	V	T	C	S	Z	R	R	L
R	E	E	K	S	F	S	S	S	L
W	R	M	O	B	V	M	D	V	A
G	S	P	M	I	O	K	V	Q	S
S	O	H	A	W	G	I	O	P	R
Q	I	Z	P	F	X	H	E	T	C

Word List

Gorillas
Lemurs
Opossums
Panthers

Word Search 29

Y	V	A	V	W	G	B	J	D	W
T	Z	K	O	B	O	J	C	F	P
G	W	N	V	U	Y	U	W	U	W
V	R	F	I	O	N	Z	F	M	E
D	C	I	B	F	X	F	P	L	A
M	W	Q	X	W	I	N	X	F	S
Z	X	X	E	N	R	Z	D	W	E
C	O	O	S	Q	Q	B	G	T	L
S	E	S	I	O	T	R	O	T	S
H	C	U	V	I	N	S	D	E	E

Word List

Puffins
Tortoises
Weasels

Word Search 30

M	P	L	A	F	X	H	E	H	D
S	F	Y	M	E	X	W	B	U	M
E	M	H	P	W	C	S	V	F	P
N	K	M	H	F	Z	A	R	L	P
U	J	C	I	O	S	L	A	H	Q
T	M	Q	B	R	J	Q	F	F	E
I	H	E	I	B	B	X	V	I	P
X	A	E	A	F	Q	L	Q	E	Q
I	F	A	N	F	T	T	N	Y	F
A	Z	H	S	J	O	S	U	Y	D

Word List

Amphibians

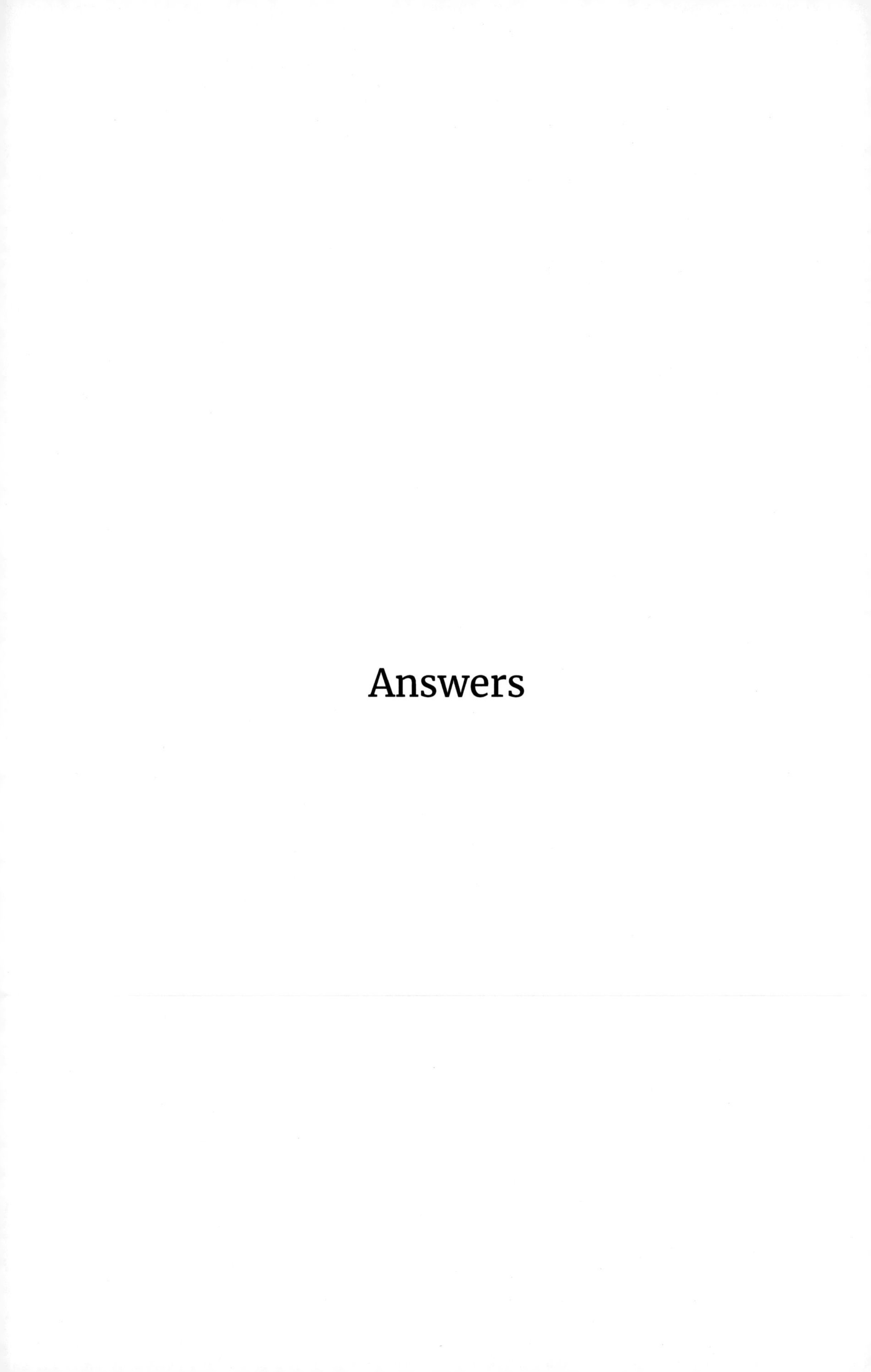

Answers

Word Search 1

T	Z	V	A	P	O	F	R	V	I
S	U	L	A	S	M	V	L	Q	E
E	B	K	D	Z	E	C	O	B	N
L	C	R	B	I	G	R	E	S	T
B	I	O	V	F	T	A	X	V	Z
B	E	J	Y	L	V	Q	F	P	O
U	J	A	I	E	L	V	R	I	T
Z	K	U	R	M	H	Q	E	Z	J
S	M	S	I	S	N	F	K	W	L
V	P	Z	S	W	G	H	M	K	M

Word Search 2

C	R	T	Q	I	K	B	J	S	G
H	E	Z	A	U	W	G	N	R	A
A	X	L	G	M	X	I	Z	J	J
M	U	N	E	P	H	P	B	G	P
E	I	J	L	P	K	T	F	B	M
L	Z	Z	L	E	H	E	O	E	Q
E	J	O	X	U	U	A	I	F	L
O	D	X	G	N	B	Y	N	J	Z
N	P	Q	D	S	I	P	C	T	P
S	O	C	B	C	S	M	W	E	S

Word Search 3

W	C	F	F	A	F	H	O	R	C
L	R	D	C	D	X	U	P	S	H
S	O	I	F	Z	H	M	H	S	E
M	C	X	J	D	T	F	R	C	E
S	O	U	M	U	O	A	F	C	T
K	D	B	F	O	G	L	Z	H	A
Y	I	R	S	U	U	V	Y	M	H
J	L	H	O	A	V	D	J	D	S
R	E	C	D	K	T	K	Q	R	K
F	S	L	J	M	C	O	J	K	O

Word Search 4

Y	J	C	Q	Q	C	I	X	Y	Z
N	V	A	K	S	F	Y	K	O	S
O	G	D	L	G	O	Z	P	R	R
O	W	T	Z	G	X	C	U	S	X
Y	K	W	D	N	E	A	Z	E	N
C	K	W	Z	U	S	M	H	L	U
D	N	C	V	O	J	K	L	G	P
P	P	R	N	X	W	Y	G	A	G
D	K	I	J	L	O	H	H	E	P
Q	D	F	L	M	K	T	B	B	Z

Word Search 5

P	S	F	F	R	N	C	Q	R	H
Z	D	N	T	B	W	J	E	Z	E
G	U	Z	E	T	Q	S	B	G	D
A	B	J	F	G	K	G	M	I	G
A	V	M	L	S	G	O	W	R	E
Q	C	G	M	M	C	R	C	A	H
C	I	D	S	S	Z	F	P	F	O
A	I	K	L	L	J	L	W	F	G
M	C	S	B	H	M	A	B	E	S
U	P	F	T	W	T	D	I	S	G

Word Search 6

K	F	K	S	K	F	W	Z	R	S
Z	A	V	K	P	S	O	O	E	A
J	K	N	Y	Q	M	L	S	H	Z
U	O	U	G	W	P	R	O	V	X
U	A	N	R	A	O	J	S	W	I
I	L	C	S	H	R	I	D	Y	B
T	A	Q	L	N	F	O	N	W	K
L	S	N	R	D	O	H	O	T	W
S	D	Y	Z	W	L	I	G	S	D
D	D	R	P	T	A	Z	L	O	C

Word Search 7

S	H	P	L	U	S	D	L	S	A
L	Q	N	N	S	P	P	P	K	U
W	P	J	X	N	L	K	J	C	S
O	A	H	X	I	L	V	X	O	L
W	N	E	Y	U	W	R	Y	C	D
U	D	G	G	G	C	N	N	A	G
J	A	L	S	N	L	D	T	E	E
P	S	O	E	E	S	W	H	P	Z
U	Z	U	X	P	V	C	L	L	Q
E	L	F	Z	L	Q	F	P	K	P

Word Search 8

R	H	I	N	O	C	E	R	O	S
Y	T	I	A	W	W	Z	U	Z	E
W	Y	S	S	E	V	S	V	D	A
F	M	S	R	S	Q	C	Q	N	T
W	B	N	R	E	G	L	D	Z	U
R	W	A	Y	K	D	H	V	S	R
S	O	K	B	J	Q	I	G	U	T
L	E	E	C	C	B	H	P	P	L
V	Y	S	B	R	E	F	V	S	E
X	A	G	C	A	H	M	N	J	S

Word Search 9

B	Y	A	V	N	A	D	N	Z	M
U	F	L	T	K	W	Z	Y	F	S
F	X	P	W	I	A	T	M	D	A
T	K	A	J	S	G	Y	Z	F	R
J	J	C	K	G	Z	E	V	R	B
U	I	A	Q	X	C	Y	R	K	E
O	J	S	A	N	T	K	G	S	Z
I	S	S	J	R	T	N	P	M	A
D	Z	E	R	J	S	B	X	H	P
A	L	L	I	G	A	T	O	R	S

Word Search 10

U	L	H	H	A	X	E	V	T	L
P	A	P	B	S	Z	P	H	B	S
G	S	Y	V	Y	G	Q	W	U	E
T	C	O	D	Q	D	O	E	I	P
Q	B	T	V	S	E	E	Y	**S**	W
M	C	F	H	P	M	A	V	**L**	E
E	W	M	M	A	A	S	U	**E**	H
F	D	O	O	Z	B	Z	O	**M**	Z
O	T	W	H	S	N	U	B	**A**	D
L	A	E	A	H	Y	K	A	**C**	A

Word Search 11

E	Q	I	Z	M	V	O	D	Q	C
K	O	Y	Q	G	U	H	Z	H	R
E	I	G	S	D	S	A	K	U	F
U	G	E	N	I	N	I	Z	B	I
Z	E	K	F	I	L	J	V	A	U
B	Q	F	P	H	M	T	G	T	E
L	W	J	F	I	G	A	A	S	V
L	Z	O	R	F	S	Z	L	F	A
M	K	P	P	F	B	O	M	F	Y
Z	F	K	X	A	S	O	J	O	Q

Word Search 12

A	D	G	A	Z	E	L	L	E	I
T	S	T	W	Q	P	E	H	Q	G
C	T	T	E	W	Q	C	T	P	U
O	R	Y	C	U	N	T	I	X	A
U	A	T	Z	E	U	L	L	X	N
H	N	Q	Z	E	S	M	U	C	A
P	U	M	P	R	P	N	B	F	S
P	K	H	Y	E	N	A	I	G	B
B	Y	Y	T	Q	D	M	Q	G	F
M	X	U	B	Q	W	P	Y	U	C

Word Search 13

H	S	I	F	Y	L	L	E	J	A
M	S	F	M	T	R	I	H	I	L
P	S	D	S	W	Z	B	E	J	N
Z	R	Z	R	W	U	B	G	Y	F
R	A	Q	V	A	X	G	D	D	M
O	U	Z	C	K	P	A	Y	D	Q
M	G	W	M	A	A	O	A	L	U
P	A	Y	J	P	W	G	E	S	Y
U	J	H	I	S	I	J	Z	L	B
O	Q	H	A	I	H	L	R	Z	C

Word Search 14

R	F	Y	Q	F	Z	K	G	Z	M
K	A	Z	O	M	Y	J	M	P	O
R	N	Z	F	I	S	E	P	E	O
D	V	R	K	P	E	J	K	S	S
D	P	D	Y	R	J	T	D	C	E
E	J	W	K	G	X	R	B	L	L
V	I	A	T	Q	A	A	Y	J	P
D	T	N	Z	Z	W	N	D	K	F
S	J	A	I	F	X	H	D	K	Y
P	F	L	G	R	O	I	A	G	J

Word Search 15

Y	F	O	L	K	X	O	K	O	S
H	M	Z	G	G	X	S	C	F	T
Q	S	A	V	T	M	T	Z	C	V
X	V	S	N	O	O	R	P	Y	Q
F	X	X	M	P	S	I	A	L	I
E	K	M	U	H	K	C	R	V	J
Z	M	S	F	E	B	H	R	X	D
O	E	Z	V	C	J	E	O	V	K
S	R	Y	I	F	X	S	T	Z	S
O	F	A	K	H	R	V	S	C	L

Word Search 16

O	M	N	G	J	F	W	S	D	K
G	Y	I	V	U	T	S	R	F	R
P	C	H	J	T	G	M	A	P	J
P	O	Z	M	E	U	R	E	J	V
Z	O	N	X	O	K	L	B	F	V
X	V	N	I	B	I	T	R	Q	G
H	X	P	I	C	F	R	A	E	I
R	L	S	A	E	T	Q	L	S	S
J	Y	N	N	S	S	E	O	E	W
L	S	K	D	X	B	V	P	L	P

Word Search 17

S	C	O	R	P	I	O	N	S	T
I	J	S	Q	X	V	P	E	T	L
X	X	L	R	W	K	S	K	R	K
L	H	O	V	E	R	Z	B	O	L
Y	O	Q	X	O	T	S	Y	Q	V
E	M	H	H	J	U	S	Z	M	T
J	Q	A	T	U	B	C	O	I	C
G	E	A	H	Q	D	N	J	O	E
S	O	C	A	Y	H	V	S	T	R
K	Y	G	O	I	D	X	Z	L	P

Word Search 18

J	J	S	G	U	T	T	H	F	W
S	P	E	O	N	R	D	T	S	H
S	M	L	Z	Q	P	I	P	A	S
D	Z	T	U	Y	P	I	D	X	I
W	D	R	A	R	X	W	T	A	F
Z	V	U	I	N	D	Z	N	P	R
M	X	T	C	A	V	Y	U	R	A
X	W	Q	S	W	A	N	S	I	T
V	Z	B	H	P	S	G	X	L	S
X	X	X	C	W	U	K	G	C	K

Word Search 19

P	Z	Y	X	A	X	D	H	X	V
F	H	A	N	T	E	A	T	E	R
M	D	Z	T	L	U	C	B	C	S
A	R	M	A	D	I	L	L	O	E
A	D	D	E	H	D	D	Y	S	L
B	V	K	E	T	U	Q	D	E	A
U	Y	U	Q	X	H	R	D	V	H
N	G	Q	X	H	I	H	G	L	W
Q	G	W	V	I	Q	M	T	O	K
Q	D	Z	C	I	G	Z	D	W	M

Word Search 20

P	V	I	C	C	W	E	R	T	S
J	C	H	I	P	M	U	N	K	S
S	J	O	L	A	F	F	U	B	Z
S	N	B	E	H	A	O	J	S	N
U	E	E	P	H	J	H	V	A	R
W	E	F	K	A	S	E	B	E	B
K	N	Y	J	C	C	O	W	S	G
P	P	D	O	C	I	S	E	O	A
E	X	H	A	Y	W	H	L	S	G
N	W	J	R	P	H	P	C	Q	V

Word Search 21

O	U	I	A	U	Y	D	R	V	A
B	Q	P	M	C	B	V	I	V	A
X	L	E	A	N	D	I	H	C	E
O	I	K	D	V	K	K	P	Z	D
V	S	R	T	V	X	V	N	R	S
D	O	N	K	E	Y	S	K	F	J
T	D	M	E	U	G	F	J	V	Q
L	C	E	A	K	J	W	S	A	F
Z	M	H	E	J	M	Q	W	M	F
G	I	P	J	R	M	K	I	Q	M

Word Search 22

X	E	B	Q	S	X	O	D	P	S
H	G	O	A	T	S	U	R	G	X
S	B	L	N	A	W	X	I	S	U
R	F	M	V	I	T	P	G	D	O
L	H	J	C	W	A	Q	C	I	I
L	O	S	T	E	R	R	E	F	C
A	D	A	N	S	Y	V	H	C	J
M	B	I	K	P	C	V	Q	K	H
A	U	K	Z	N	X	S	H	E	W
G	S	F	B	L	Q	J	C	E	Y

Word Search 23

I	P	L	A	T	Y	P	U	S	P
S	Q	F	H	S	K	Z	A	S	T
H	M	R	Y	A	L	H	V	N	V
S	J	U	A	C	V	D	W	O	W
S	E	N	I	P	U	C	R	O	P
S	V	N	B	S	K	G	Y	C	D
U	M	N	P	L	H	L	I	C	G
W	D	L	C	Q	X	J	R	A	N
C	G	N	M	N	D	W	N	R	I
E	N	U	P	H	Q	R	Y	I	S

Word Search 24

Y	W	A	X	M	L	T	Z	I	R
E	N	R	L	T	T	Z	T	N	X
X	D	B	E	E	P	T	D	H	O
Y	S	R	S	E	U	N	P	P	D
D	L	K	E	H	D	A	K	G	V
N	H	H	U	H	A	N	F	D	C
M	S	I	D	N	K	R	I	C	V
X	L	Y	C	X	K	P	K	E	B
N	Q	U	W	N	D	S	Q	S	R
Y	M	C	T	G	M	G	D	E	R

Word Search 25

C	L	V	M	B	B	O	I	P	F
K	V	M	C	N	A	L	O	P	S
M	S	S	L	V	V	F	U	Q	S
R	M	K	J	F	Y	B	U	H	T
Y	M	R	B	I	X	I	T	L	I
V	V	O	A	X	R	O	X	X	I
V	S	T	O	R	L	Z	L	W	N
M	N	S	E	S	K	W	V	Z	F
R	A	L	O	B	J	N	Q	K	E
M	S	K	K	N	J	H	R	E	G

Word Search 26

U	W	I	K	C	O	S	E	S	J
I	V	W	J	Z	L	T	S	F	M
Z	M	N	A	A	G	U	O	P	M
T	B	J	M	D	R	R	Z	V	O
U	A	M	E	L	Q	K	K	D	S
X	A	F	A	L	B	E	I	K	T
M	F	W	N	F	A	Y	A	H	X
L	V	T	Y	D	X	Y	G	H	X
F	F	E	M	F	S	M	S	J	A
Z	I	J	Y	A	C	I	N	O	U

Word Search 27

T	A	B	G	U	V	S	F	R	I
T	N	N	N	M	I	K	O	N	J
N	C	A	T	T	L	E	Q	W	X
J	M	X	F	E	A	S	G	B	M
U	Y	O	C	D	L	C	Q	L	N
H	K	O	D	P	D	O	R	Y	L
U	B	B	L	D	K	M	P	P	U
S	S	E	T	O	Y	O	C	E	E
S	K	R	A	V	D	R	A	A	S
E	V	N	T	K	D	S	Q	I	M

Word Search 28

X	P	G	L	X	A	H	W	P	G
K	A	O	Q	E	Y	Z	R	S	O
A	N	Z	G	Y	M	M	M	G	R
A	T	U	W	I	M	U	M	F	I
C	H	V	T	C	S	Z	R	R	L
R	E	E	K	S	F	S	S	S	L
W	R	M	O	B	V	M	D	V	A
G	S	P	M	I	O	K	V	Q	S
S	O	H	A	W	G	I	O	P	R
Q	I	Z	P	F	X	H	E	T	C

Word Search 29

Y	V	A	V	W	G	B	J	D	W
T	Z	K	O	B	O	J	C	F	P
G	W	N	V	U	Y	U	W	U	W
V	R	F	I	O	N	Z	F	M	E
D	C	I	B	F	X	F	P	L	A
M	W	Q	X	W	I	N	X	F	S
Z	X	X	E	N	R	Z	D	W	E
C	O	O	S	Q	Q	B	G	T	L
S	E	S	I	O	T	R	O	T	S
H	C	U	V	I	N	S	D	E	E

Word Search 30

M	P	L	A	F	X	H	E	H	D
S	F	Y	M	E	X	W	B	U	M
E	M	H	P	W	C	S	V	F	P
N	K	M	H	F	Z	A	R	L	P
U	J	C	I	O	S	L	A	H	Q
T	M	Q	B	R	J	Q	F	F	E
I	H	E	I	B	B	X	V	I	P
X	A	E	A	F	Q	L	Q	E	Q
I	F	A	N	F	T	T	N	Y	F
A	Z	H	S	J	O	S	U	Y	D

Made in the USA
Monee, IL
11 April 2023

021363ea-af86-4fea-8c7a-6e45d6e22a64R01